THE BLACK BOOK

50+

ROCK & POP
HITS
FOR BUSKERS

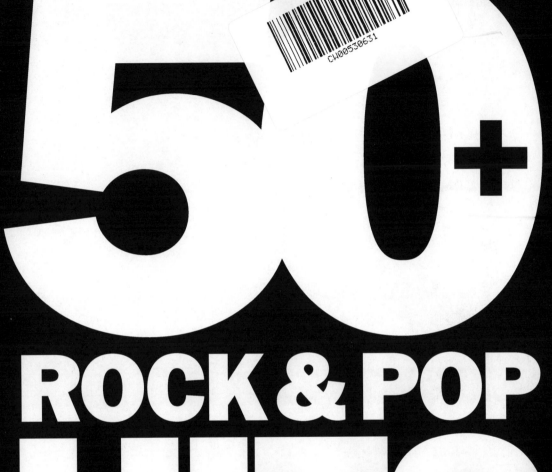

WISE PUBLICATIONS
PART OF THE MUSIC SALES GROUP
LONDON/NEW YORK/PARIS/SYDNEY/COPENHAGEN/BERLIN/ MADRID/TOKYO

PUBLISHED BY
WISE PUBLICATIONS
14-15 BERNERS STREET, LONDON W1T 3LJ, UK.

EXCLUSIVE DISTRIBUTORS:
MUSIC SALES LIMITED
DISTRIBUTION CENTRE, NEWMARKET ROAD,
BURY ST EDMUNDS, SUFFOLK IP33 3YB, UK.
MUSIC SALES PTY LIMITED
120 ROTHSCHILD AVENUE, ROSEBERY, NSW 2018,
AUSTRALIA.

ORDER NO. AM986117
ISBN 1-84609-623-5
THIS BOOK © COPYRIGHT 2006 WISE PUBLICATIONS,
A DIVISION OF MUSIC SALES LIMITED.

COMPILED BY NICK CRISPIN
COVER DESIGNED BY FRESH LEMON
PRINTED IN THE EU

WWW.MUSICSALES.COM

1
All Along The Watchtower

Words & Music by Bob Dylan

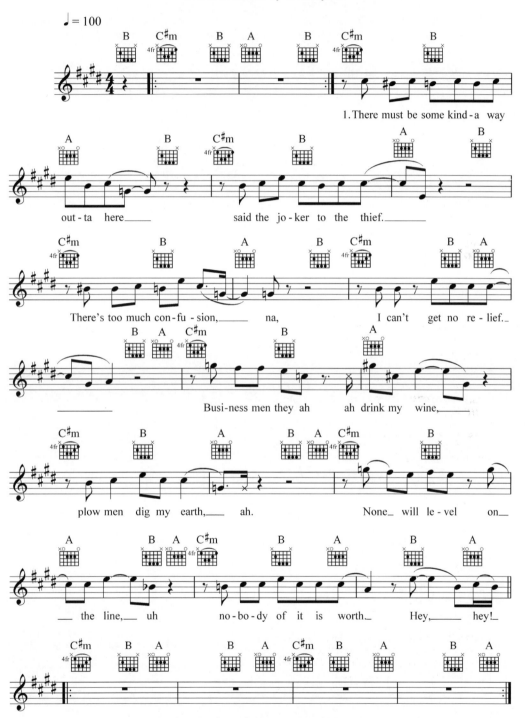

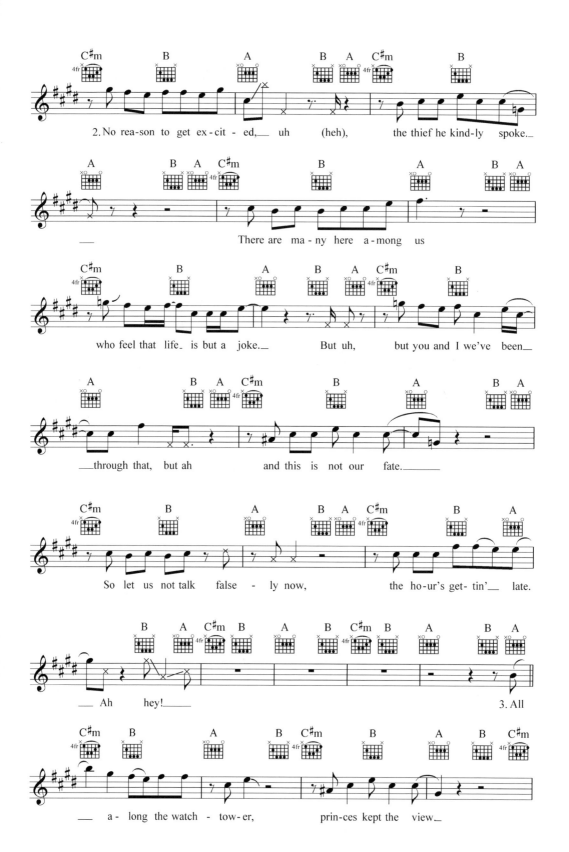

2
All I Want Is You

Words & Music by U2

1. You say you want___ dia-monds on a ring of gold.___ You
(3.) say you'll give me eyes in the moon of blind-ness, a

say you want___ your sto-ry to re - main un - told.)
riv-er in a time of dry-ness, a har-bour in the tem-pest.)
But all the

pro-mis-es___ we_ make, from the cra-dle to the grave.___ When all_

___ I want___ is you.___

2. You_ say you'll give_ me_ a
4. You_ say you want___ your

high-way with no - one on_____ it.   Trea - sure just to look up - on it,   all the
love__ to work out right,_____ to   last with me through the

rich - es_____ in the night.___ 3. You__ night.   You say   you want___

dia - monds on a ring of gold,___   your sto - ry to re - main un - told.__ Your

love_ not to grow cold.   All the pro - mi - ses__   we break,   from the

cra - dle   to   the grave._   When   all   I   want_____ is   you._

3
All Right Now

Words & Music by Paul Rodgers & Andy Fraser

♩ = 120

Whoa,_____ ow!

1. There she stood in the_ street,_ smil - ing from her head_ to her feet.
(2.) home to my_ place,_ watch - in' ev -'ry move on her face.

I said - a, "Hey_ now, what is this_ now ba - by?" May - be, may - be she' in need_ of a kiss.__
She said, "Look, what's your game,_ ba - by? __ you try'n' to put me in shame?"

I said - a, "Hey,____ uh huh, what's your name,_ ba - by?" May - be we can see things_ the same._
I said - a, "Slow,____ don't go so fast.__ Don't_ you think that love can_ last?"

Now don't you She said,

4
Angels

Words & Music by Robbie Williams & Guy Chambers

1. I sit and wait, ___ does an an-gel con-tem-plate ___ my fate? ___ And do they know the pla-ces where we go, when we're grey and old? ___ 'cos I have been ___ told that sal-va-tion lets their wings ___ un-fold ___ So when I'm ly-ing in my bed, thoughts run-ning through my head and I feel that love is dead, ___ I'm lov-ing an-gels in-stead. And through it all ___

she of-fers me_ pro-tec-tion, a lot of love and af-fec - tion whe-ther I'm right or wrong. And down the wa - ter-fall_____ wher-ev-er it_ may take_ me, I know that life_ won't break_ _ me,_ when I come_ to call she won't for-sake___ me, ___

I'm lov-ing an-gels in-stead. 2. When I'm feel-ing weak_ and my pain_ _ walks down_ a one__ way street, I look a-bove and I know__ I'll al - ways be blessed_ with love, __ and as the feel-ing grows_____ she brings flesh to my bones and

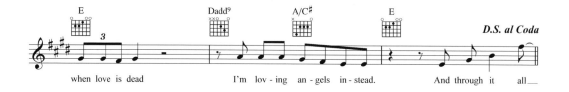

when love is dead   I'm lov-ing an-gels in-stead.   And through it   all

D.S. al Coda

Coda

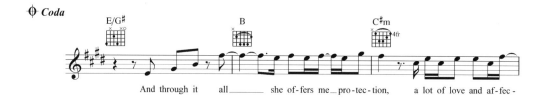

And through it   all   she of-fers me pro-tec-tion,   a lot of love and af-fec-

- tion   whe-ther I'm right or wrong.   And down the wa - ter-fall   wher-ev-er it   may take

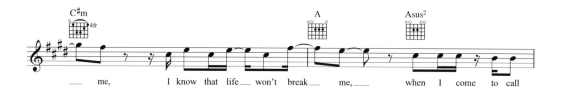

me,   I know that life   won't break   me,   when   I   come   to call

she won't for-sake   me,   I'm lov-ing an-gels in-stead.

5
Beautiful Day

Words by Bono
Music by U2

to take you out of this place,___ some - one you could lend

a hand in re - turn for grace.___ It's a beau - ti - ful day.___

The sky falls and you feel___ like it's a beau - ti - ful day,___

2° only

___ It's a beau - ti - ful day,___ don't

1.   2.

let it get_ a - way.___ 2. You're on the road,___ It's a beau -ti -ful day._

___ oh, oh._____ Touch me,

take me to that oth - er___ place._ { Teach / Reach } me,_____

I know I'm not a hope-less case.

Guitar solo

1. See the world in green and blue,_ see Chi-na right_
2. See the Be-dou-in fires at night,_ see the oil-fields

_ in front_ of you. See the can-yons bro-ken by cloud.
at first light and, see the bird with a leaf in her mouth.

1.
See the tu-na fleets clear-ing the sea out.
Af-ter the flood all the

2.
co-lours came out.

N.C.

Day,_ day,_

_ it was a beau-ti-ful_ day.

6
...Baby One More Time

Words & Music by Max Martin

Show me how you want it to be. Tell me

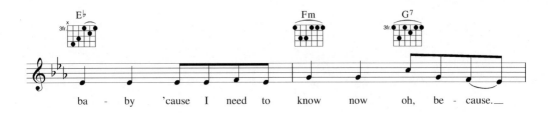

ba - by 'cause I need to know now oh, be - cause.__

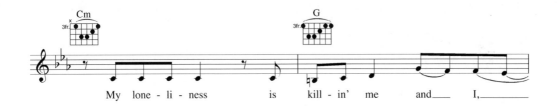

My lone - li - ness is kill - in' me and__ I,__

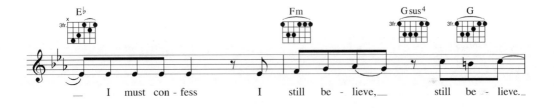

__ I must con - fess I still be - lieve,__ still be - lieve.__

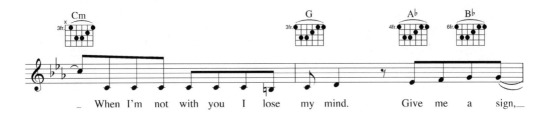

__ When I'm not with you I lose my mind. Give me a sign,__

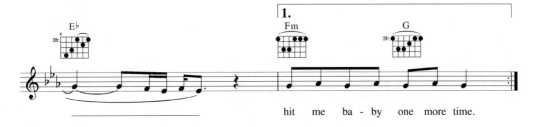

1.

hit me ba - by one more time.

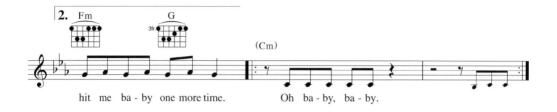

2. Fm   G

(Cm)

hit me ba - by one more time.   Oh ba - by, ba - by.

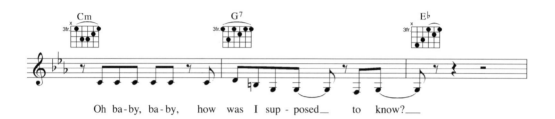

Cm   G⁷   E♭

Oh ba - by, ba - by, how was I sup - posed__ to know?__

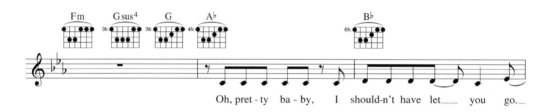

Fm Gsus⁴ G A♭   B♭

Oh, pret - ty ba - by, I should-n't have let__ you go.__

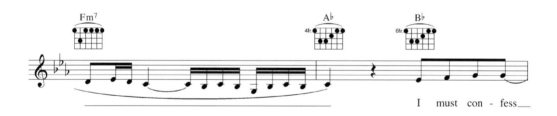

Fm⁷   A♭   B♭

I must con - fess__

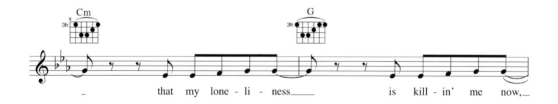

Cm   G

__   that my lone - li - ness____   is kill - in' me now,__

E♭   Fm   Gsus⁴ G

_____   don't you know I____ still__ be - lieve__

20

that you will be here____ and give me a sign.__

_____ Hit me ba - by one more time. My lone - li - ness is
(2 vocal ad lib sim.)

kill - in' me and__ I,_____ I must con - fess I

still be - lieve__ still be - lieve.__ When I'm not with you I lose

my mind. Give me a sign,_____

1. hit me ba - by one more time. **2.** hit me ba - by one more time.

7
Born To Try

Words & Music by Delta Goodrem & Audius Mtawarira

1. Do-ing ev-'ry- thing that I___ be - lieve___
2. No point in talk - ing what should have___

___ in go - ing by the rules___ that I've___ been taught.___
___ been and re - gret - ting the___ things that___ went on.___

More un - der - stand - ing of what's___
Life's full of mis - takes, des -

___ a - round me___ and pro - tect - ed___ from the walls___
- ti - nies and___ fates.___ Re - move the clouds, look at the big -

___ of love. } All that___ you see___ is me.
-ger pic - ture. }

And all I tru-ly be-lieve___ that I was born to try,___ I've learned to love,___

8
The Boys Are Back In Town

Words & Music by Phil Lynott

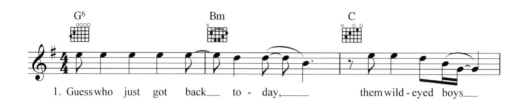

1. Guess who just got back to-day,_ them wild-eyed boys_

that had been a-way.__ Have-n't changed, had-n't much to say,

but man, I still think them_ cats are cra-zy. They were ask-ing if you were a-round,_

how you was,_ where you could be found._ I told them you were liv-ing down-town.

Driv-ing all the old___ men cra-zy.__ The boys are back_ in town, the

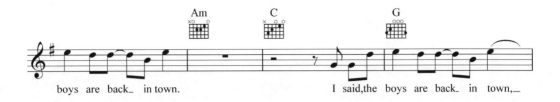

boys are back_ in town.   I said, the boys are back_ in town,_

_____ the boys are back_ in town.   The boys are back_ in town, the

boys are back_ in town, the boys are back_ in town, the boys are back_ in town.

2. You know that chick that used to dance a - lot,__

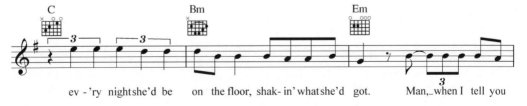

ev - 'ry night she'd be   on the floor, shak- in' what she'd got.   Man,_ when I tell you

. she was cool, she was red hot!__ I mean she was steam - ing!__ And that time ov-er at

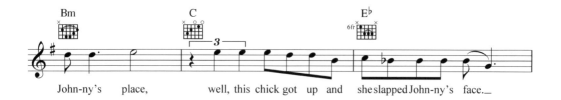

John-ny's place, well, this chick got up and she slapped John-ny's face.__

D.S. al Coda

Man!__ We just fell a-bout the place.__ If that chick don't wan-na know, for - get her!__ The

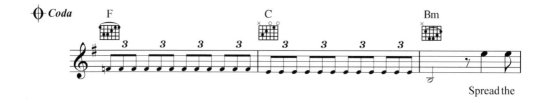

Coda

Spread the

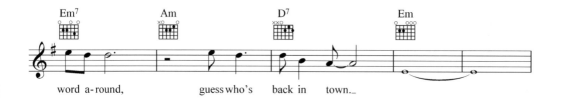

word a-round, guess who's back in town.__

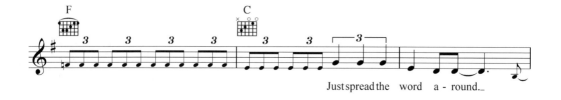

Just spread the word a - round.__

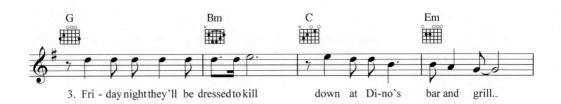

3. Fri - day night they'll be dressed to kill   down at Di-no's   bar and   grill.

The drink will flow and   blood__ will spill,   and if   the boys   wan-na fight you bet - ter

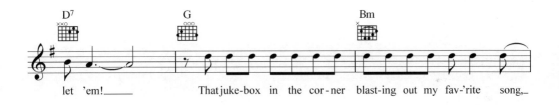

let 'em!____   That juke-box   in   the cor - ner   blast-ing   out my fav-'rite   song,__

__   the nights are get-ting   warm - er,   it won't be   long...____   Won't be   long__

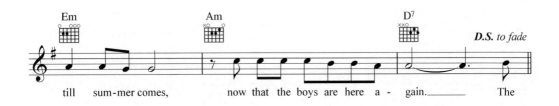

till   sum-mer comes,   now that the boys are here   a -   gain.____   The

9
Common People

Words by Jarvis Cocker
Music by Jarvis Cocker, Nick Banks, Russell Senior, Candida Doyle & Stephen Mackey

Moderately

mp 1. She came from Greece she had a thirst for know-ledge, She stud-ied sculp-ture at Saint
(See lyrics 2 & 3)

Mar-tin's Col-lege, That's where I___ caught her eye.___

___ She told me that her

dad was load-ed, I said "In that case I'll have rum and Co-ca Co-la." She said "Fine!"___

___ And then in thir-ty se-conds time___

CHORUS

___ she said: *mf* "I want to live like com-mon peo-ple,

I want to do what-ev-er com-mon peo-ple do.___ Want to sleep with

- er get___ it right___ 'cos when you're laid___ in bed___ at night___

___ watch-ing roach - es climb___ the wall,___ If you called___

___ your dad___ he could stop___ it all,___ yeah! You'll nev-er live like

com-mon peo - ple, You'll nev-er do what-ev-er com-mon peo-ple do,___

___ Nev-er fail like com-mon peo - ple, You'll nev-er watch your life___

___ slide out of view,___ And dance___ and drink___ and screw,___

___ Be-cause there's no-thing else___ to do.___

Play 6 times
vocal ad lib.

Want to live with com-mon peo - ple like you, Want to live with

com-mon peo - ple like you.____ La____ la la__ la, Oh!____ La__

__ la la__ la, Ooh!____ La____ la la la la, Oh you!

2. I took her to a supermarket,
   I don't know why but I had to start it somewhere,
   So it started there.
   I said "Pretend you've got no money,"
   But she just laughed and said
   "Oh you're so funny!"
   I said "Yeah?"
   (Spoken): "Well,
   "I can't see anyone else smiling in here,"
   "Are you sure?"

3. *Guitar solo*

CHORUS 1:
You want to live like common people,
You want to see whatever common people see,
Want to sleep with common people,
You want to sleep with common people like me.
But she didn't understand,
She just held my hand.

CHORUS 2:
Sing along with the common people,
Sing along and it might just get you through,
Laugh along with the common people,
Laugh along even though they're laughing at you,
And the stupid things that you do,
Because you think that poor is cool.

10
Creep

Words & Music by Thom Yorke, Jonny Greenwood, Colin Greenwood, Ed O'Brien,
Phil Selway, Albert Hammond & Mike Hazlewood

11
Can't Get You Out Of My Head

Words & Music by Cathy Dennis & Rob Davis

(La la la la — la la la la la la la la — la la la la.)

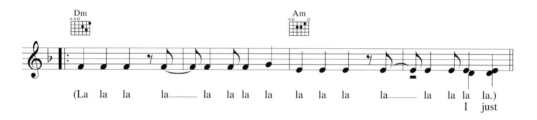

(La la la la — la la la la la la la la — la la la la.)
I just

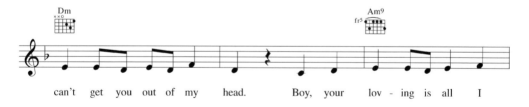

can't get you out of my head. Boy, your lov - ing is all I

think a - bout. I just can't get you out of my head. Boy, it's

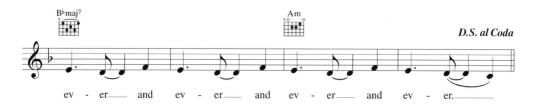

ev – er —— and ev – er —— and ev – er —— and ev – er. ——

✛ *Coda*

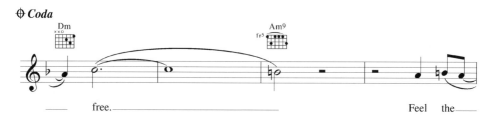

—— free. —————————————— Feel the——

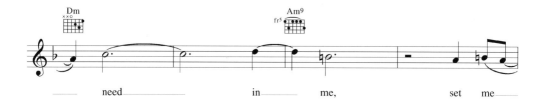

—— need ————— in —— me, set me——

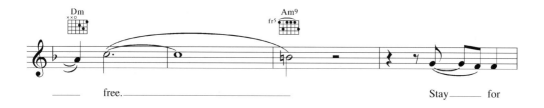

—— free. ————————————— Stay —— for

ev – er —— and ev – er —— and ev – er —— and ev – er. ——

Repeat ad lib.to fade

La la la la —— la la la la la la la la —— la la la la.

36

12
Don't Speak

Words & Music by Eric Stefani & Gwen Stefani

You and me ___ we used to be ___ to - geth - er,

ev - 'ry day ___ to - geth - er, al - ways. I

real - ly feel ___ that I'm los - ing my best ___ friend, I

can't be - lieve ___ this could ___ be the ___ end. It looks

as though ___ you're ___ let - ting go, ___ and
we die ___ both ___ you and I ___

if it's real ___ then I ___ don't want ___ to know. ___
with my head in my hands I'll soon be cry - ing.

13
Dead In The Water

Words & Music by David Gray

1. Peo - ple stand___ in line,_____
2. They come from miles___ a - round,___
3. A sim - ple act___ of faith,___

peo - ple stand_ in line,_____
they come from miles_ a - round,___
sim - ple act_ of faith,___

peo - ple stand_ in line,_____
they come from miles_ a - round,___
a sim - ple act__ of faith,_____
a
in
a

pre - mo - ni - tion of_____ the kill - er's an - gel eyes,____ an
a - va - rice and love,___ to suck - le on_ the blood___ of
ce - le - bra - tion of_____ the co - lour and the creed,_____ the

ar - ma - ged - don sky. Tell it like___ it is,___ it's
some for - got - ten god. Sell it like___ it is,___ it's
can - cer and it's seed. Cra - ckles on_____ the mic,___

14
Denis

Words & Music by Neil Levenson

you._____ When you smile, it's like a dream;_

and I'm so luck-y, 'cos I found a boy like you._____

3. De - nis, De - nis,   av - ec tes yeux si bleus;   De - nis, De - nis,
4. De - nis, De - nis,   je suis si folle de toi.   De - nis, De - nis,

moi j'ai flashe à nos deux: De - nis, De - nis,___   un grand bais - er d'é -
em-bras - se moi ce soir,   De - nis, De - nis,___   un grand bais - er d'é -

1.   2.

-ter – ni – té.)
-ter – ni – té.)   Oh, De – nis, oo be

doo,   I'm in love with you. De – nis, oo be doo,   I'm in love with

you. De – nis, oo be doo,   I'm in love with you._____

15
Don't Panic

Words & Music by Guy Berryman, Jon Buckland, Will Champion & Chris Martin

Bones sink - ing like stones, all___ that we've fought for.___

Homes, pla - ces we've grown, all___ of us are done for.___

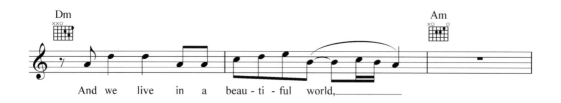

And we live in a beau - ti - ful world,___

yeah we do,___ yeah we do. We live in a beau - ti - ful world.___

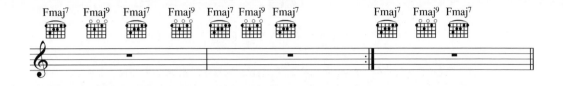

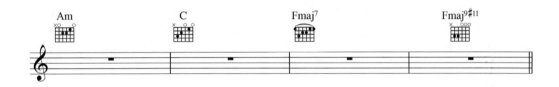

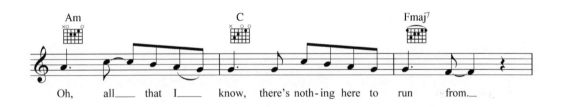

Oh, all___ that I___ know, there's noth-ing here to run from.___

'Cause yeah, ev - 'ry - bo - dy

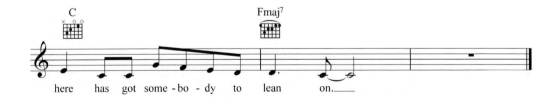

here has got some-bo-dy to lean on.___

16
Filthy/Gorgeous

Words & Music by Jason Sellards, Scott Hoffman & Ana Lynch

1. When you're walk-ing down the street and a man tries to get your bus-
(2.) run-ning from a trick and you trip on a hit of a-

- 'ness;___ and the peo-ple that you meet___ want to
- cid;___ you got-ta work for the man,___ but your

op - en you up_____ like Christ - mas;___
big - gest mon - ey - mak - er's flac - cid;___

you got - ta wrap your____ fuz - zy with a
you got - ta keep your shit to - ge - ther with your

big red bow, ain't no some bitch gon - na
feet on the ground, there ain't no one gon-na lis - ten if you

treat me like a ho. I'm a class - y hon - ey, kiss - y hug - gy,
have - n't made a sound. You're an a - cid junk - ie, col - lege flunk - y,

love - y dove - y ghet - to prin - cess!
dirt - y pup - py dad - dy bast - ard!

'Cos you're

filth - y, ooh, and I'm gor - geous. 'Cos you're

filth - y, ooh, and I'm gor - geous. You're dis -

-gust - ing, ooh, and you're nas - ty; and you can

grab me, ooh, 'cos you're nas - ty.

Fine

1.

2. *D.S. al Fine*

2. When you're 'Cos you're

17
Girl From Mars

Words & Music Tim Wheeler

Do you re-mem-ber the time___ I knew a girl from Mars,___ I don't know___ if you knew___ that.

Oh, we'd stay up late play-ing cards,___ Hen-ry Win - ter-man cig - - ars, and she nev - er told___ me her name,___ I still love___ you the girl___ from Mars.___

1. Sit - ting in a dream - y___ daze___ by the wa - ter's edge, on___ a cool sum - mer night.
2. Surg - ing through the dark - ness___ ov - er the moon - lit strand, elec - tri - ci - ty in___ the air.

Fire - flies and stars____ in the sky,____ gen - tle glow -
Twist - ing all through__ the night__ on the ter -

- ing light, from__ your cig - ar - ette. The breeze_ blow -
- race, now__ that sum - mer is here. I know that you__

- ing__ soft - ly____ on____ my face re - minds__
_ are__ al - most in love _____ with me, I can see

_ me of some - thing else. Some - thing that in
it in__ your eyes. Strange lights__ shim -

__ my__ mem - 'ry has been__ mis - placed, sud -
- mer - ing un - der the sea__ to - night, and it al -

- den - ly all__ comes. back.__ }
- most blows_ my__ mind.__ }   And_ as I look_ to the stars._

__ I re - mem - ber the time__ }
on (𝄋) Mars. Do you re - mem - ber the time__ }   I knew a girl from Mars,_

49

Dmaj⁷   Bm

I don't know___ if you knew___ that.

A   E

Oh, we'd stay up late play-ing cards,___ Hen-ry Win - ter-man cig-

Dmaj⁷   Bm

To Coda ⊕

- ars,   and she nev - er   told___ me her name,___

D   E   A

___ I still love___ you the girl___ from Mars.___

A   E   D   Bm

Play 4x

(Instrumental)

A   E   Dmaj⁷   Bm   D

To - day I   sleep___ in the chair___ by the win - dow,___   it felt___

E   A   E

_ as if you'd___ re - turned.___   I   thought that   you___

50

_ were_ stand - ing___ ov - er me when I woke_

_ there was no - one there._ I still love you_ girl_ from

Coda _ do you re - mem - ber the time___ I knew a girl from Mars,_

_ I don't know___ if you knew___ that.

Oh, we'd stay up late play - ing cards,___ Hen - ry Win - ter - man cig -

- ars, and I _____ still dream_ of you_

_ I still love___ you the girl_ from Mars._

51

18
Golden Brown

Words & Music by Jean-Jacques Burnel, Jet Black, Hugh Cornwell & David Greenfield

1. Gold - en Brown, tex - ture like sun,
2. Ev - 'ry time is just like the last.
3. Gol - den Brown, fin - er temp - tress,

lays me down, with my mind she runs
On her ship, tied to the mast to
through the a - ges she's head - ing west, from

through - out the night. No need to fight,
dis - tant lands, take both my hands,
far a - way, stays for a day,

2° D.C. al Fine
Fine

nev - er a frown with Gol - den Brown.

19
Good Vibrations

Words & Music by Brian Wilson & Mike Love

1. I,_____ I love the col - our - ful
2. Close my eyes, she's some - how

clothes she wears,_____ and___ the
clo - ser now,_____

way the sun - light plays up - on her hair.____
soft - ly smile, I know she must be kind.____

I_____ hear the sound of her gen - tle word,_____ on__ the
When_____ I look in her eyes,_____ she_ goes

wind that lifts her per - fume through the air.____
with me to a blos - som world.

I'm pick-ing up good vi - bra - tions, she's giv-ing me ex - ci - ta - tions.

(Good, good, good, good_ vi - bra -
I'm pick - ing up good vi - bra - tions,

(Good, good, good, good___ vi - bra - tions.___
I'm pick-ing up good vi - bra - tions, she's giv-ing me

(Good, good,
ex - ci - ta - tions. I'm pick - ing up...

good, good___ vi - bra - tions.)

Na, na, na, na, na, na, na, na.

Na, na, na, na, na, na, na, na. Na, na, na, na, na, na, na, na.

Na, na, na, na, na, na, na, na.

Repeat to fade

20
Have A Nice Day

Words & Music by Kelly Jones

♩ = 120

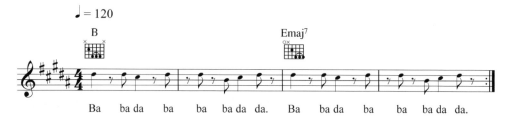

Ba ba da ba ba ba da da. Ba ba da ba ba ba da da.

1. San Fran-cis-co Bay, past Pier Thir-ty Nine. Ear-ly P. M. can't remem-ber what time.

Got the wait-ing cab, stopped at the red light. Ad-dress un-sure of, but it's turned out just

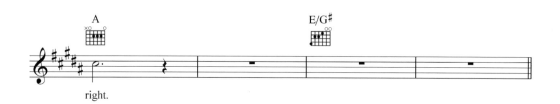

right.

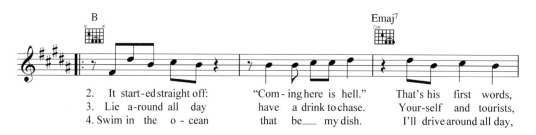

2. It start-ed straight off: "Com-ing here is hell." That's his first words,
3. Lie a-round all day have a drink to chase. Your-self and tourists,
4. Swim in the o - cean that be my dish. I'll drive around all day,

we asked what he meant. He said, "And where ya from?" We told him our lot,
yeah, that's what I hate.__ You say we're go-ing wrong, we've all be-come the same.
and kill pro-cessed fish.__ It's all mo-ney__ gum, no ar-tists any - more.

"When you take a ho-li-day, is this what you want?"
We dress the same__ ways, on-ly our accents change.
You're on-ly in it now, to make more, more, more.

So have a nice__

(Ba ba da ba ba ba da ba.
__ day.__ Have a nice__

Ba ba da ba ba ba da ba. Ba ba da ba
__ day.__ Have a nice__ day.__

Repeat 3 times to fade

ba ba da ba. Ba ba da ba ba ba da ba.)
__ Have a nice__ day__

21
Hand In My Pocket

Words by Alanis Morissette
Music by Alanis Morissette & Glen Ballard

broke but I'm___ hap-py,___   I'm poor but I'm kind,___   I'm
2. drunk but I'm___ sob-er,___   I'm young and I'm under-paid,   I'm
3. *(Harmonica solo)*
(Verse 4 see block lyric)

short but I'm___ health - y,   yeah.___   I'm___
tired but I'm___ work - ing,   yeah.___   I___

high but I'm ground-ed,   I'm sane but I'm ov - er___ whelmed,   I'm
care but I'm rest - less,   I'm here but I'm real - ly___ gone,   I'm

lost but I'm hope - ful, ba - by. And what it all comes down__
wrong and I'm sor - ry, ba - by. And what it all comes down__

G⁵/F

Csus²

__ to is that ev - 'ry-thing's gon - na be
__ to is that ev - 'ry-thing's gon - na be

G⁵

fine, fine, fine,_____ 'cause I've__ got
quite al - right,_____ 'cause I've__ got

G⁵/F

Csus²

G⁵/D

To Coda ⊕

one hand in my pock - et and the oth - er one is giv - in' a high five.
one hand in my pock - et and the oth - er one flick - in' a cig - ar - ette.

G⁵

1.2.

3.

D. 𝄋 al Coda ⊕

2. I feel

4. I'm

⊕ *Coda*

G⁵

And what it all comes down__

59

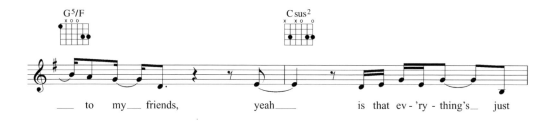

_____ to my ___ friends,   yeah _____   is that ev - 'ry - thing's ___ just

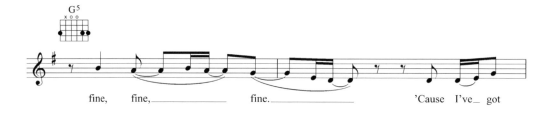

fine,   fine, _____   fine. _____   'Cause I've_ got

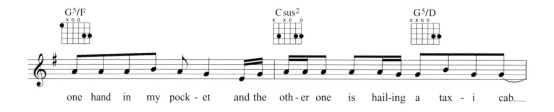

one hand in my pock - et   and the oth - er one is hail-ing a tax - i cab.__

Play 3x

Verse 3:
Harmonica solo:
And what it all comes down to
Is that I haven't got it all figured out just yet
'Cause I've got one hand in my pocket
And the other one is givin' a peace sign.

Verse 4:
I'm free but I'm focused
I'm green but I'm wise
I'm hard but I'm friendly baby
I'm sad but I'm laughing
I'm brave but I'm chicken-shit
I'm sick but I'm pretty, baby

And what it all boils down to
Is that no one's really got it all figured out just yet
But I've got one hand in my pocket
And the other one is playin' a piano.

22
Hey Ya!

Words & Music by André Benjamin

My ba-by don't mess a-round_ be-cause she loves me so_ and this I know for sure. But does she real-ly wan-na, but can't stand to see_ me walk_ out the door. Don't try to fight the feel-in' 'cause the thought a-lone_ is kill-ing me right now. Thank God for Mum and Dad_ for stick-ing

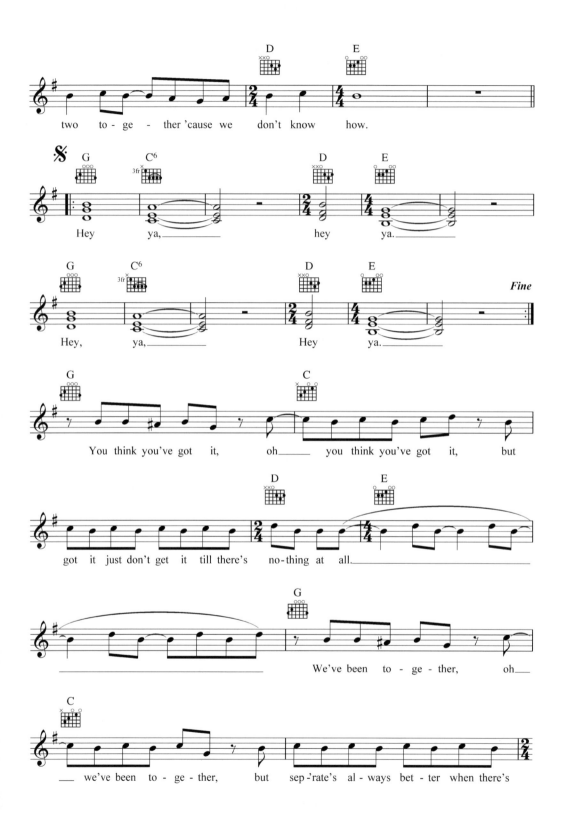

two to - ge - ther 'cause we don't know how.

Hey ya,_____ hey ya._____

Hey, ya,_____ Hey ya._____

Fine

You think you've got it, oh_____ you think you've got it, but

got it just don't get it till there's no - thing at all._____

We've been to - ge - ther, oh__

__ we've been to - ge - ther, but sep - 'rate's al - ways bet - ter when there's

feel-ings in - volved.

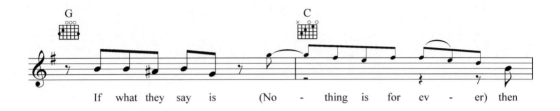
If what they say is (No - thing is for ev - er) then

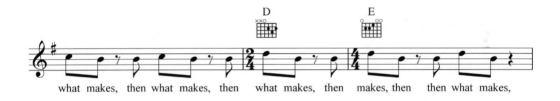
what makes, then what makes, then what makes, then makes, then then what makes,

(love ex - cep - tion?) So why you, why you, why___ you, why you, why you, are

we so in de - ni - al when we know we're not

hap - py here.___

D.S. al Fine

N.C.

63

23
How Soon Is Now?

Words & Music by Morrissey & Johnny Marr

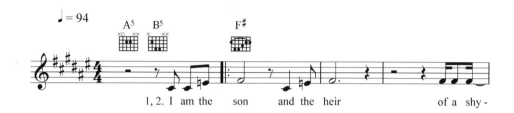

1, 2. I am the son and the heir of a shy-

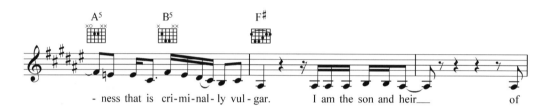

- ness that is cri-mi-nal-ly vul - gar. I am the son and heir___ of

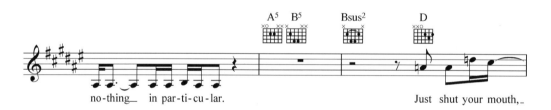

no-thing___ in par-ti-cu-lar. Just shut your mouth,___

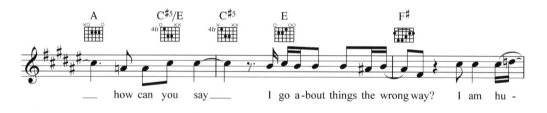

___ how can you say___ I go a-bout things the wrong way? I am hu -

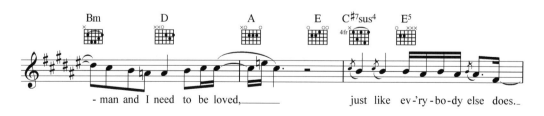

- man and I need to be loved,___ just like ev-'ry-bo-dy else does.___

(2.) I am the

There's a club if you'd like to go,———————— you could meet

some - bo - dy————— who real - ly loves— you.   So you

go and you stand on your own,   and you leave on your own,   and you

go home   and you cry   and you want   to die.——

Repeat to fade

24
I Just Don't Know What To Do With Myself

Words by Hal David
Music by Burt Bacharach

25
I Predict A Riot

Words & Music by Nicholas Hodgson, Richard Wilson,
Andrew White, James Rix & Nicholas Baines

Cm G/B Bb F G7/B

La,_____ la, la, la, la, la,_ la. Ah,_____

Cm G/B Bb F

_____ la, la, la, la, la._ la._____

Ab Db Ab

I pre-dict a ri-ot, I_ pre-dict a ri-ot.

Db Ab 1.

I pre-dict a ri-ot, I_ pre-dict a ri-ot.

2. D5 C5

And if there's an-y-bo-dy left in here, ooh, that

Bb5 Ab5 Db Ab Db

does-n't want to be out there, I_ pre-dict a ri-ot. I_ pre-dict a

Ab 1. Db 2. Db Ab

ri-ot. I_ pre-dict a

26
I'm Outta Love

Words & Music by Anastacia, Sam Watters & Louis Biancaniello

1. Now ba - by come on___ don't claim___ that love___ you -
2. Said how ma - ny times___ have___ I tried___ to turn___

- er let___ me feel.___ I should have known,___ 'cause you've___
___ this love___ a - round.. But ev - 'ry time,___ you___

___ brought no - thing real.___ Come on, be a man___ a - bout___ it. You___
___ just let___ me down.. Come on, be a man___ a - bout___ it. You'll___

___ won't___ die,___ I___ ain't got no more tears___ to cry___ and I can't___
___ sur - vive___ sure___ that you can work it out___ al - right,___ tell me

_____ take this no more.___ You know I got - ta let___ it___ go.___
yes - ter - day, did you know,___ I'd be the one___ to let___ you___ go?___

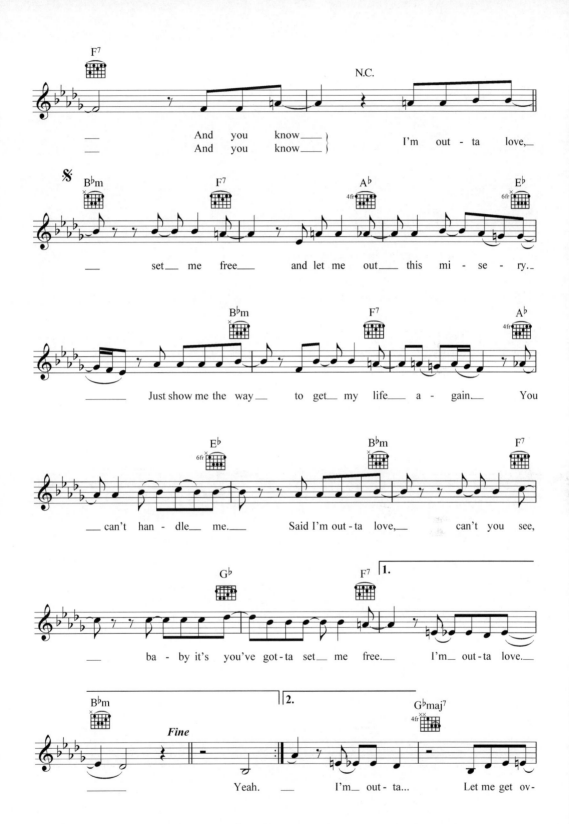

F⁷/C

- er___ you_____ the way you got-ten ov-er me too.__ Yeah__

E♭m⁹   Cm⁷add11   F⁷sus⁴

Seems like my time__ has come and now__ I'm mov-in' on._____ And

F⁷   N.C.

I'll be strong - er.   *(Vocal ad lib.)*
        I'm out - ta love____   set__ me free____ and let me out__

__ this mi - se - ry._____ Show me the way_

__ to get__ my life____ a - gain____ you_

D.S. al Fine

__ can't han - dle____ me.____   Said I'm out - ta love_

27
(I've Had)
The Time Of My Life

Words & Music by Frankie Previte, John DeNicola & Donald Markowitz

take each oth-er's hand 'cause we seem to un-der-stand the ur - gen - cy.
know what's on your mind when you say "Stay with me to - night."

(M) Just re-mem-ber (F) you're the one thing (M) I can't get e-

-nough of. (F) So I'll tell you some-thing, (Both) this could be

love. Be - cause I've__ had__ the time of my

life,__ no I nev - er felt__ this way be - fore, yes I

swear it's the truth__ and I owe it all to you.__

(F) 2. With my

owe it all to you,__ 'cause__ I've had the time of my

life,_____ and I've searched through ev - 'ry o - pen door till I've

found the__ truth_____ and I owe it all to you._____

(Both) I've had the time of my life_____ no I nev -
I've had the time of my life_____ and I've searched

- er felt__ this way be - fore, yes I swear it's the truth,__
__ through ev - 'ry o - pen door till I've found the truth,__

Repeat to fade

_____ and I owe it all to you.__ 'cause__
_____ and I owe it all to you.__ 'cause__

75

28
Islands In The Stream

Words & Music by Barry Gibb, Maurice Gibb & Robin Gibb

♩ = 102

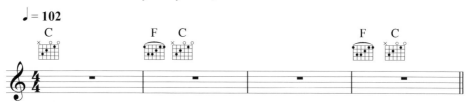

Ba- by, when I met you there was peace un-known,__ I set out to get you with a fine tooth-comb. I was

soft in - side,__ there__ was some-thing go - ing on.__

You do some-thing to me that I can't ex - plain,__ hold me clo-ser and I feel no pain, ev-'ry

beat of my heart,__ we've__ got some-thing go - ing on.__

Ten-der love is blind, it re - quires__ a de - di - ca - tion,_____

all this love___ we feel needs no con-ver-sa-tion. We ride it to-ge-ther, ah-

-hah,___ mak-ing love___ with each oth-er, ah-hah.___ Is-lands in

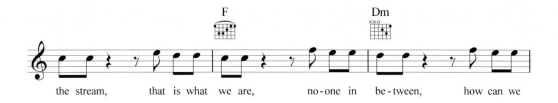

the stream, that is what we are, no-one in be-tween, how can we

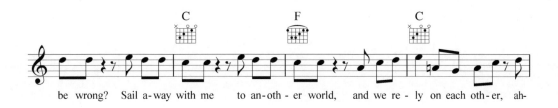

be wrong? Sail a-way with me to an-oth-er world, and we re-ly on each oth-er, ah-

-hah,___ from one lov-er to an-oth-er, ah-hah.___

I can't live with-out you if the love was gone,___ ev-'ry-thing is no-thing if you

got   no - one, and you___ did   walk   in   to-night   slow-

- ly los-ing sight   of the   real___ thing.___   But

that won't hap-pen to us, and we got   no   doubt,___   too deep in love and we got

no way out. And the mes-sage is clear,___   this___ could be the year for the real thing.___

No more will you   cry,   ba-by, I____ will hurt you nev-er,   we

start and end_ as one,   in love for ev-er. We can ride it to-ge-ther, ah - hah,___   mak-ing love_

___ with each oth-er, ah - hah.___   Is-lands in   the stream, that is what we are, no-one in

be-tween, how can we be wrong? Sail a-way with me to an-oth-er world, and we re-

-ly on each oth-er, ah - hah,___ from one lov - er to an-oth-er, ah - hah.___

To Coda

D.S. al Coda

Is-lands in

Coda

- hah.___ Is-lands in the stream, that is what

we are, no-one in be-tween, how can we be wrong? Sail a-way

with me to an-oth - er world, and we re - ly on each oth-er, ah-

Fade

-hah,___ from one lov - er to an-oth-er, ah - hah.___ Is-lands in

29
It Must Be Love

Words & Music by Labi Siffre

take the blues_ a-way.
a - ny oth - er way.

It must be love,__ love,

love.

It must be love,__ love, love.

No-thing more,_ no-thing less:_ love is the best.____

How can it be____ that we__ can say so much__ with-out

words?

Bless you and bless__ me, bless the bees__ and the

D.S. al Coda

birds.

Repeat to fade

❖ *Coda*

love.

It must be love,_ love, love

81

30
Just Like A Woman

Words & Music by Bob Dylan

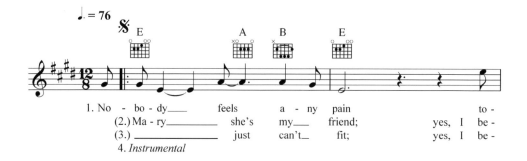

1. No - bo - dy___ feels a - ny pain to -
(2.) Ma - ry_____ she's my___ friend; yes, I be -
(3.) _____ just can't_ fit; yes, I be -
4. *Instrumental*

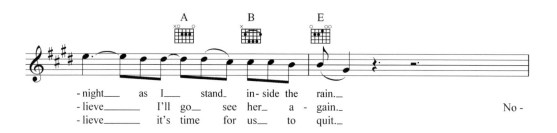

- night___ as I___ stand_ in - side the rain._ No -
- lieve_____ I'll go_ see her_ a - gain._
- lieve_____ it's time for us_ to quit._

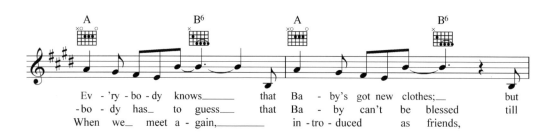

Ev - 'ry - bo - dy knows_____ that Ba - by's got new clothes;___ but
- bo - dy has_ to guess___ that Ba - by can't be blessed till
When we_ meet a - gain,_____ in - tro - duced as friends,

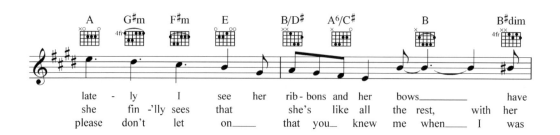

late - ly I see her rib - bons and her bows_____ have
she fin -'lly sees that she's like all the rest, with her
please don't let on___ that you_ knew me when___ I was

fall - en___ from her curls.___ She
fog, her am - phe-ta - mine___ and pearls.
hun - gry and it was your___world.___ Ah,_ you

takes
takes } just like a wo - man,___ yes she does;_ she
fake

makes love just like a wo - man,___ yes she does;_ and she

aches just like a wo - man;___ but she breaks_

_ just_ like a lit - tle___ girl.___

1 - 3.

4.

4° *To Coda* ⊕

2.Queen
3. I___

31
Just The Way I'm Feeling

Words & Music by Grant Nicholas

Strings 2° only

1. Love in,___ love out,___ find the feel - ing.___
2. Glow in,___ burn out,___ lost the feel - ing.___

Scream in,___ scream out,___ time for heal -
Bruise in,___ you bruise out,___ nurse the bleed -

Play 1° only

- ing.___ You feel___ the mo -
- ing.___

- ment's gone___ too soon.___

Love in,____

D.S. al Coda

love out,____ find the feel - ing.____

⊕ Coda

- ing. Yeah_ yeah,____ it's just the way_ I'm feel - ing. Yeah_ yeah,____

____ it's just the way_ I'm feel - ing. Yeah_ yeah,____ it's just the way_ I'm feel -

- ing. Yeah_ yeah,____ it's just the way_ I'm feel - ing.

32
Let's Dance

Words & Music by David Bowie

1. Let's dance, put on your red shoes and dance the blues.
(2.) dance, for fear___ your grace should fall.___

Let's dance to the song they're play - ing on the
Let's dance for fear___ to - night is all.

ra - di - o. Let's sway, while
Let's sway, you could

co-lour lights up your face. Let's sway,
look in - to___ my eyes. Let's sway,

sway_through the crowd_ to an emp -ty space._
un -der the moon-light, the se - ri-ous moon-light.

(And) If you say run, I'll run with you.

(And) If you say hide, we'll hide. Be-

-cause my love for you would break my heart in two. If

you should fall in-to my arms (and) trem-ble like a

1.

flow - er. Let's

dance. Let's

2.

flow - er.

33
Lovefool

Words & Music by Peter Svensson & Nina Persson

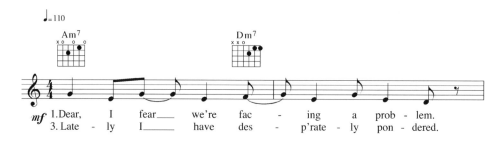

1.Dear, I fear we're fac - ing a prob - lem.
3.Late - ly I have des - p'rate - ly pon - dered.

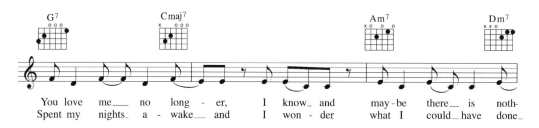

You love me no long - er, I know and may - be there is noth-
Spent my nights a - wake and I won - der what I could have done

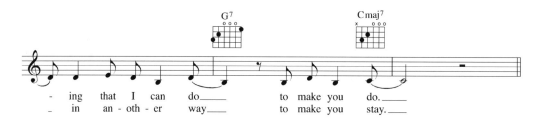

- ing that I can do to make you do.
_ in an - oth - er way to make you stay.

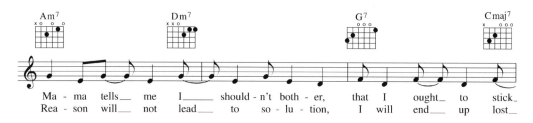

Ma - ma tells me I should - n't both - er, that I ought to stick
Rea - son will not lead to so - lu - tion, I will end up lost

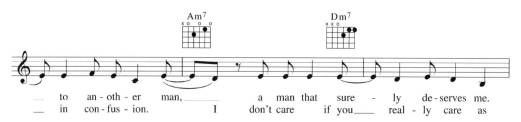

_ to an - oth - er man, a man that sure - ly de - serves me.
_ in con - fus - ion. I don't care if you real - ly care as

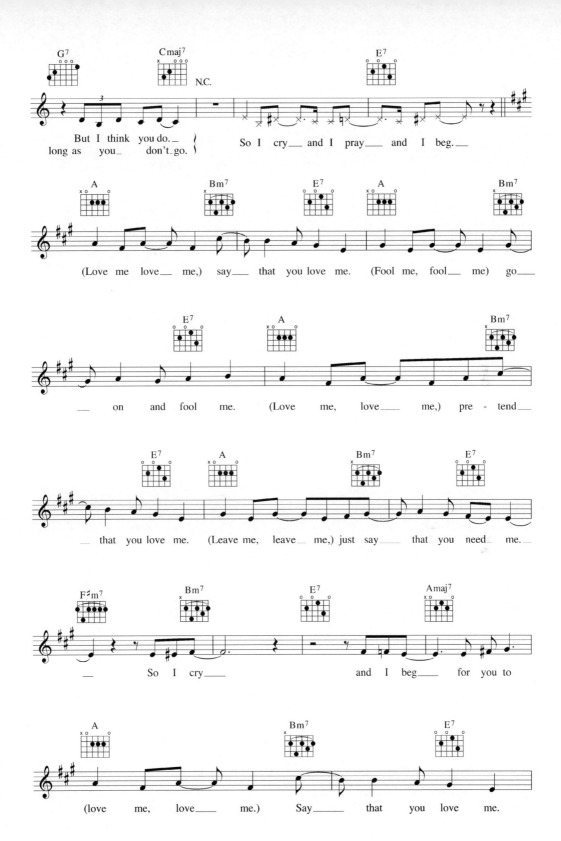

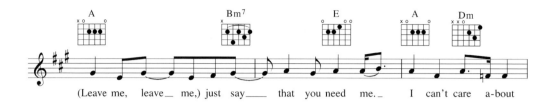

(Leave me, leave_ me,) just say____ that you need me._ I can't care a-bout

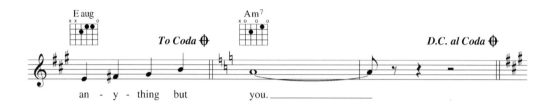

To Coda ⊕

D.C. al Coda ⊕

an - y - thing but   you._____

⊕ Coda

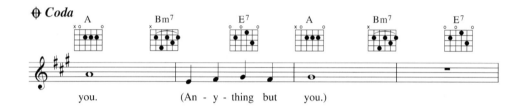

you.   (An - y - thing but   you.)

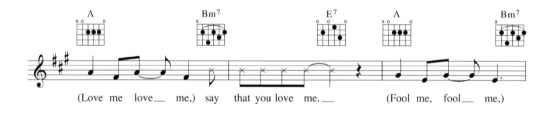

(Love me love_ me,) say that you love me. __   (Fool me, fool_ me,)

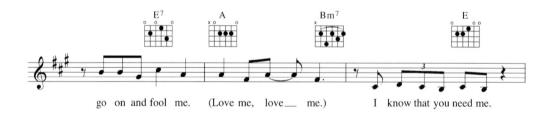

go on and fool me. (Love me, love_ me.)   I know that you need me.

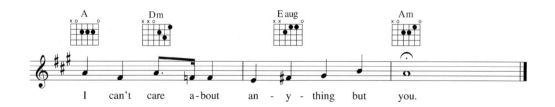

I   can't   care   a-bout   an - y - thing but   you.

92

34
New York, New York

Words & Music by Ryan Adams

1. Well, I shuf - fled through the ci - ty on the fourth of Ju - ly,__ I had a
(2.) __my - self a pic - ture that would stay in the folds__ of my
(3.) __re - mem - ber Christ - mas in the blis - ter - ing cold__ in a

fire - crac - ker wait - ing to blow,__ break -
wal - let and it stayed pret - ty good,__ still a - mazed
church on the up - per west side.__ Babe,__

- in' like a roc - ket who was mak - ing its way__ to the cit -
__ I did - n't lose it on the roof of the place__ when I was
__ I stood there sing - ing, I was hold - ing your arm,__ you were hold -

- ies of Mex - i - co. Lived__
drunk and I was think - ing of you. Ev -
- ing my trust__ like a child. Found__

__ in an a - part - ment out on A - ve - nue A,__ I had a
- 'ry day the chil - dren, they were sing - ing their tunes__ out on the
__ a lot of trou - ble out on A - ven - ue B__ but I tried__

tar hut on the cor - ner of tenth.___ Had___
streets and you could hear from in - side.___ Used_
___ to keep the ov - er - head low.___ Fare -

___ my - self a lo - ver who was fi - ner than gold,___ but I've been
___ to take the sub - way up to Hous - ton and third,___ I would
- well to the ci - ty and the love of my life,___ at least we

bro - ken up and bust-ed up since._ Love don't_ play_____ an - y
wait for you and I'd try to hide._ Love won't_ play_____ an - y
left be-fore we_ had to go.___ Love won't_ play_____ an - y

games with me__ an-y - more like_ she did be - fore._____ The
games with you__ an-y - more if you don't want it to._____ The
games with you__ an-y - more if_ you want them to._____ So

world won't wait___ so I bet - ter shake_ that thing__
world won't wait_____ and I watched you shake_ but
we bet - ter__ shake_____ this old thing out the door I'll

___ right out___ there through the door._____
ho - ney,_____ I don't blame you.
al - ways_____ be_____ think - ing of you.___

35
Oliver's Army

Words & Music by Elvis Costello

on their way._____ And I would rath - er be an - y -where

else but____ here to - day.

Hong Kong is

up for grabs;_ Lon - don is full of____ Ar - abs.

We could be in Pal - es - tine,__ o - ver-run__ by a

Chi - nese line with the boys from the Mer - sey and the

Thames and the Tyne._____

3. But there's no dan - ger. It's a pro - fes - sion - al____ ca -

-reer, though it could be ar - ranged____ with just a word____ from Mis -

- ter Church - ill's ear.____ If you're out of luck____ or out____ of____ work____

____ we could send you to____ Jo - han - nes - burg.

Ol - i - ver's ar - my is here to stay.____ Ol - i - ver's ar - my are

on their way._____ And I would rath - er be an - y - where

else but____ here to - - day.____

36
Put Your Records On

Words & Music by John Beck, Steven Chrisanthou & Corinne Bailey Rae

37
Run

Words & Music by Gary Lightbody, Jonathan Quinn,
Mark McClelland, Nathan Connolly & Iain Archer

I'll be right be-side you dear.___ Loud-er, loud-er,

and we'll run___ for_____ our lives, I can hard-ly speak, I___ un - der-stand why

1.

you can't raise your voice to___ say.___ 3. To think I

Slow - er, slow - er we don't have___ time___ for that.
Have heart my dear, we're bound to___ be_____ a- fraid,

All I want's to find an___ eas - ier way to get out of our lit-tle___ heads.___
ev-en if it's just for___ a_____ few days, mak-ing up for all this___ mess.___

___ Light up, light up as if you___ have___ a choice,

___ ev-en if you can not___ hear___ my voice, I'll be right be-side you___ dear.___

103

38
Should I Stay Or Should I Go?

Words & Music by Joe Strummer & Mick Jones

39
Somebody Told Me

Words & Music by Brandon Flowers, Dave Keuning, Mark Stoermer & Ronnie Van Nucci

Well, some-bo-dy told__ me you had a boy - friend who looked like a girl-

-friend that I had in Feb - ru-a - ry of last__year. It's not con-fi den - tial. I've got po ten-

1. - tial. **2.** - tial, a-rush-ing, a-rush-ing a-round. Pace your-self for me._____

_____ I said may - be__ ba - by,__ please; but I just don't

know now,_____ (May - be__ ba - by)_ when all I wan-na do is try._

_____ But some-bo-dy told____ me you had a boy - friend who looked like a girl-

-friend that I had in Feb - ru-a - ry of last__year. It's not con-fi - den - tial. I've got po ten-

1, 3. **3.**

- tial, a-rush-ing, a-rush - ing a-round. Some-bo-dy told_ -ing a-round._____

107

40
Somewhere Only We Know

Words & Music by Tim Rice-Oxley, Tom Chaplin & Richard Hughes

1. I walked a - cross an emp - ty land,
(Verse 2 see block lyrics)
I knew the path - way like the back of my hand.
I felt the earth be - neath my feet,
sat by the riv - er and it made me com - plete. Oh sim - ple thing,
where have you gone? I'm get - ting old and I need some-thing to re - ly on.
So tell me when you're gon-na let me in, I'm get-ting tired and I need
some-where to be - gin. And if you have a min-ute why don't we go,
talk a - bout it some-where on - ly we know, this could be the

To Coda

end of ev-'ry-thing___ So why don't we___ go some-where on-ly we know___

Some - where on-ly we know___

D.S. al Coda
(without repeat)

Coda

so why don't we___ go.___

Ooh___ aah,___ oh.___

This___ could be the end of ev-'ry-thing___ So why don't we___ go

some-where on-ly we know. Some - where on-ly we know?___

Some-where on-ly we know.___

Verse 2:
I came across a fallen tree,
I felt the branches of it looking at me.
Is this the place we used to love?
Is this the place that I've been dreaming of?

41
Roll With It

Words & Music by Noel Gallagher

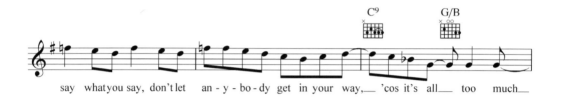

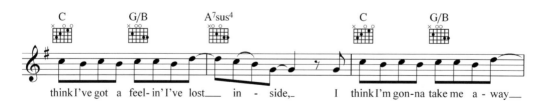

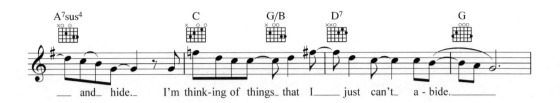

___ and_ hide._ I'm think-ing of things_ that I____ just can't_ a - bide._____

* I know the roads down_ which__ your life__ will drive._

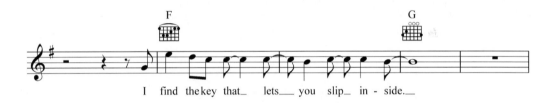

I find the key that_ lets__ you slip_ in - side._

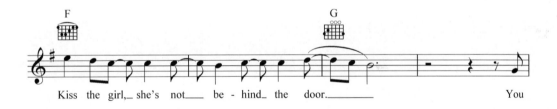

Kiss the girl,_ she's not___ be - hind_ the door._____ You

know I think I re-cog - nise__ your face_ but I've nev-er seen you be - fore._

You got-ta roll with it,__ you got-ta take your time,_ you got-ta say what you say, don't let

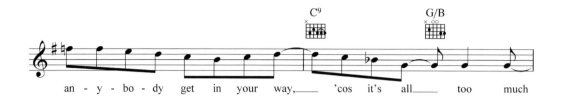

an - y - bo - dy get in your way,___ 'cos it's all____ too much

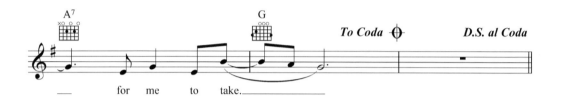

___ for me to take._____

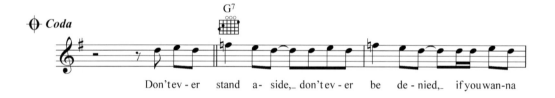

Don't ev - er stand a - side,_ don't ev - er be de - nied,_ if you wan-na

be who you'd be if you're com - in' with me.___ I

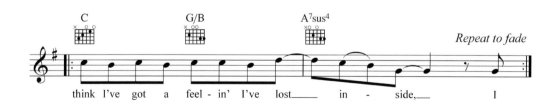

think I've got a feel - in' I've lost____ in - side,__ I

42
Teenage Kicks

Words & Music by John O'Neill

43
Take It Easy

Words & Music by Jackson Browne & Glenn Frey

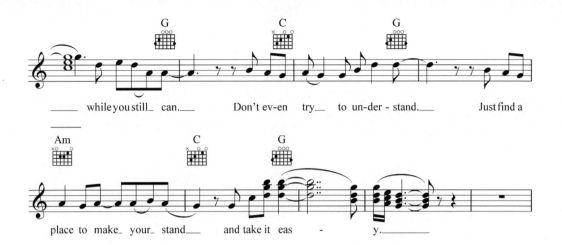

_____ while you still_ can.___ Don't ev-en try_ to un-der - stand.___ Just find a

place to make_ your_ stand___ and take it eas - y._____

Well, I'm a stand-in' on a cor-ner in Win - slow, Ar - i - zo - na,___ it's

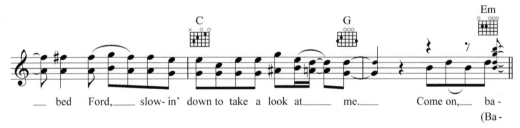

such a fine_ sight_ to see.___ It's a girl,___ my_ Lord,___ in a flat_

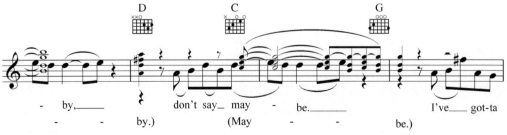

_ bed Ford,___ slow-in' down to take a look at_____ me.___ Come on,___ ba -
                                                                                        (Ba -

- by,___   don't say_ may - be._____   I've___ got-ta
- - by.)   (May   -   -   be.)

44
A Thousand Miles

Words & Music by Vanessa Carlton

1. Mak - ing my way down - town, walk - ing fast; fac - es pass, and I'm home - bound. Star - ing blank - ly a - head, just mak - ing my way, just mak - ing a way through the crowd.

2. Al - ways times like these, when I think of you and I won - der if you ever think of me. 'Cause ev - 'ry - thing's so wrong, and I don't be - long, liv - ing in your pre - cious me - mo - ry.

you think__ time__ would pass us__ by? 'Cause

you know I'd__ walk__ a thou - sand_ miles__ if I__ could

1.
just see_____ you._____ If

2.
just see_____ you,_____ if I can

just hold_____ you_____ to -

- night._____

45
This Love

Words & Music by Adam Levine, James Valentine,
Jesse Carmichael, Mickey Madden & Ryan Dusick

46
The Tide Is High

Words & Music by John Holt, Howard Barrett & Tyrone Evans

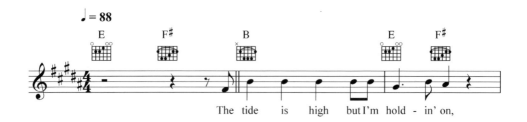

The tide is high but I'm hold - in' on,

I'm gon-na be your num - ber one. I'm___ not the kind - a girl

who gives up just___ like that,___ oh, no._____ It's

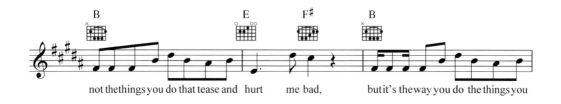

not the things you do that tease and hurt me bad, but it's the way you do the things you

do to me. I'm___ not the kind - a girl who gives up just___ like

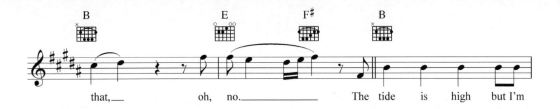

that,___ oh, no._____ The tide is high but I'm

hold - in' on, I'm gon - na be your num - ber one,

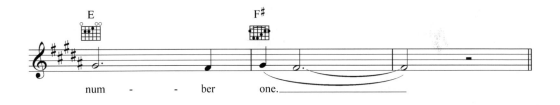

num - - ber one._____

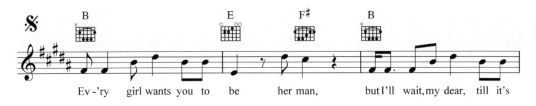

Ev -'ry girl wants you to be her man, but I'll wait, my dear, till it's

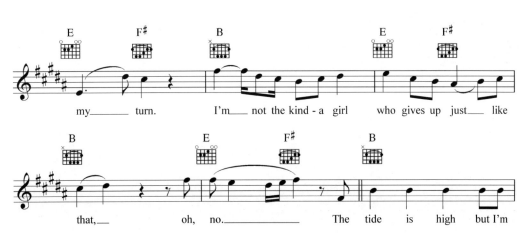

my_____ turn. I'm__ not the kind - a girl who gives up just__ like

that,___ oh, no._____ The tide is high but I'm

hold - in' on, I'm gon -na be your num - ber one,

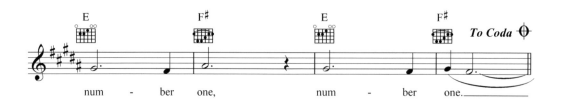

num - ber one, num - ber one._____

To Coda ⊕

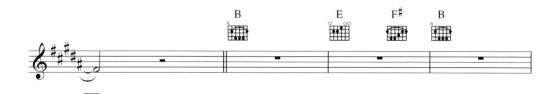

D.S. al Coda

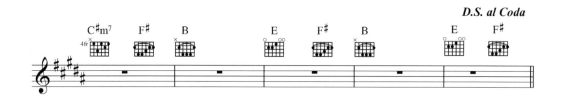

C#m⁷   F#   B   E   F#   B   E   F#

⊕ *Coda*

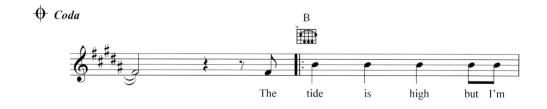

The   tide   is   high   but   I'm

Repeat and fade

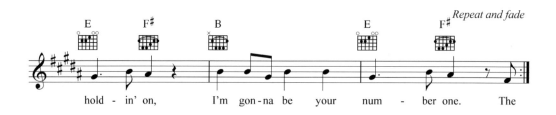

hold - in' on, I'm gon -na be your num - ber one. The

126

47
Toxic

Words & Music by Cathy Dennis, Christian Karlsson, Pontus Winnberg & Henrik Jonback

127

round and round.___
all a - round.___
Can you feel me now?
Can you feel me now?

With a taste of your lips I'm

on a ride. You're tox - ic I'm slip -ping un - der.
With the taste of a poi -son

pa -ra -dise, I'm ad - dic - ted to you. Don't you know that you're tox - ic.___

And I love what you do, but you know that you're tox - ic.___

1.
2.

Don't you

know that you're tox - ic.___ Taste of your lips I'm on a ride. You're tox - ic

128

I'm slip-ping un-der. With the taste of a poi-son pa-ra-dise, I'm ad-

-dic-ted to you. Don't you know that you're tox-ic.___ With a taste of your lips I'm

on a ride. You're tox-ic I'm slip-ping un-der. With the taste of a poi-son

pa-ra-dise, I'm ad-dic-ted to you. Don't you know that you're tox-ic.___

In-tox-i-cate me now___ with your lov-ing now.___

___ I think I'm rea-dy now.___ (I think I'm rea-dy now.) In-tox-i-cate me now_

___ with your lov-ing now.___ I think I'm rea-dy now.___

48
Twist And Shout

Words & Music by Bert Russell & Phil Medley

honey.
Work it on out._____
Twist lit - tle girl._____

You know you look so
You know you twist so

good.
Look so good._____
fine.
Twist so fine._____

You know you got me
Come on and twist a little

go - in'____ now,__
Got me go - in'.
clo - ser____ now,__
Twist a little clo - ser.

just like I knew____ you would.__
and let me know that you're mine.

To Coda ⊕ |1.

Like I knew you would, ooh.__
Let me know you're mine.

Well, shake it up ba-

|2.

ooh._____
ooh._____

D   G   A⁷   G   D   G   A⁷

G   D   G   A⁷   G   D   G   A⁷   G

131

Ah_____

D.S. al Coda
no repeats

Whoa, yeah._____
Ah, yeah._____ Well, shake it up ba -

⊕ Coda

Well shake it, shake it, shake it, ba - by,____ now.____
Ooh.___ Shake it up, ba -

Well, shake it, shake it, shake it, ba - by____ now.____
- by. Shake it up ba -

Well, shake it, shake it, shake it, ba - by,__ now.
- by. Shake it up ba - by.)

Ah._____

49
Why

Words & Music by Annie Lennox

Why?_____

1. How_ ma-ny times_____ do I have to try to
2. I may be blind,_____ I may be vi-ciously un-
3. This is the book I've nev-er read. these are the words_ I nev-er said,

tell you that I'm_____ sor-ry for the things_
kind, but I can still read what you're
this is the path I'll nev-er tread, these are the dreams I'll dream in-stead,

__ I've done?_ Ooh,_
think-ing. Ooh,_
this is the joy that's sel-dom spread, these are the tears, the tears we shed,

but
and

this is the fear, this is the dread, these are the con-tents of my head.

when I start to try___ to tell___ you   that's when you have to tell___ me,
I've heard it said too ma - ny times   that you'd be bet - ter off, be -
These are the years that we have spent,   and this is what___ they rep-re-sent,

hey, this kind of_____ trou - ble's on - ly just___
- sides, why can't you see this boat is
and this is how I feel.___ Do you know how I feel___

___ be - gun.
sink - ing? This boat is sink - ing, this boat is sink - ing.
'Cos I don't think you know___ how I feel_____

To Coda

(3.) I don't think you know how I feel.

I tell my - self too ma - ny times, why don't you ev - er learn to
Let's go down to the wa-ter's edge, and we can

keep your big mouth shut?___ That's why it hurts so bad to
cast a - way those doubts._ Some things are bet - ter left un-

134

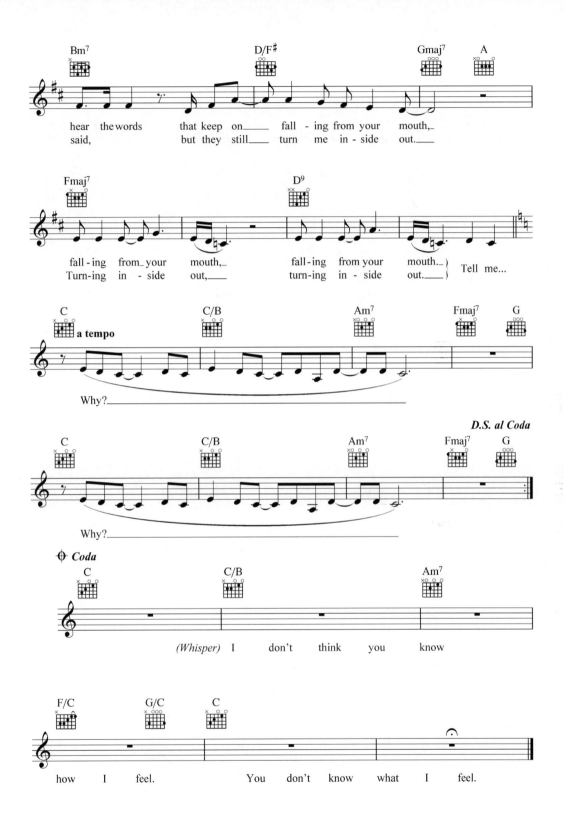

hear the words   that keep on____ fall - ing from your   mouth,___
said,   but they still____ turn me in - side   out.____

fall - ing from_ your   mouth,___   fall-ing from your   mouth.__ ⎫
Turn-ing in - side   out,____   turn-ing in - side   out.___ ⎬ Tell me...

Why?_____

D.S. al Coda

Why?_____

✛ *Coda*

(Whisper) I   don't   think   you   know

how   I   feel.   You   don't   know   what   I   feel.

135

50
Wonderwall

Words & Music by Noel Gallagher

1. To-day is gon-na be the day that they're gon-na throw it back to you.___
2. Back beat the word is on the street that the fire___ in your heart is out.___
3. To-day was gon-na be the day, but they'll nev-er throw it back to you.___

By now you should have some how re-al-ised what you got-ta do.___
I'm sure you've heard it all be-fore but you nev-er real-ly had a doubt.___
By now you should have some-how re-al-ised what you got-ta do.___

I don't be-lieve that an-y-bo-dy___ feels the way I do___

1.
— a-bout___ you now.___

2.3.
And all

___ the roads we have___ to walk are wind-ing, and all___ the lights that lead

___ the way are blind-ing. There are ma-ny things___ that I___ would

51
You Took The Words Right Out Of My Mouth (Hot Summer Night)

Words & Music by Jim Steinman

1. It was a hot sum-mer night and the beach was burn-ing. There was
(2.) lick-ing your lips and your lip-stick shin-ing, I was
(3.) bo-dy is shak-ing like a wave on the wa-ter, and I

fog crawl-ing ov-er the sand. When I
dy-ing just to ask for a taste. Oh, we were
guess that I'm be-gin-ning to grin. Oh, we're

lis-ten to your heart I hear the whole world turn-ing, I
ly-ing to-ge-ther in a sil-ver lin-ing by the
fin-'lly a-lone and we can do what we want to. Ooh the

see the shoot-ing stars fall-ing through your tremb-ling hands.
light of the moon. You know there's
night is young; ain't no-

2. While you were not an-oth-er mo-ment, not an-oth-er mo-ment, not

_ an - oth - er mo - ment to___ waste. Oh well, you

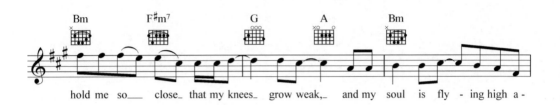

hold me so___ close_ that my knees_ grow weak,_ and my soul is fly - ing high a -

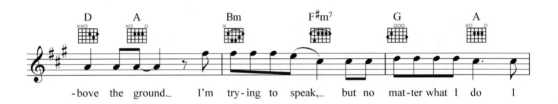

-bove the ground._ I'm try - ing to speak,_ but no mat - ter what I do I

just can't seem to make a - ny sound._ And then you

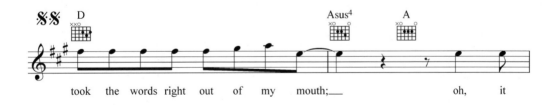

took the words right out of my mouth;___ oh, it

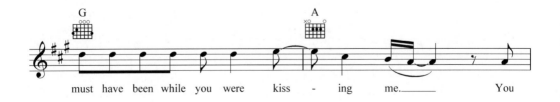

must have been while you were kiss - ing me._____ You

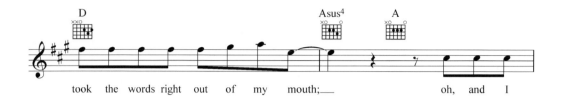

took the words right out of my mouth;___ oh, and I

swear it's true: I was just a - bout to say I love_____ you._

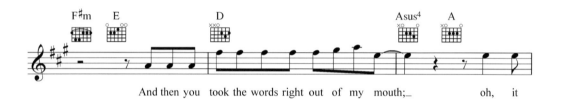

And then you took the words right out of my mouth;_ oh, it

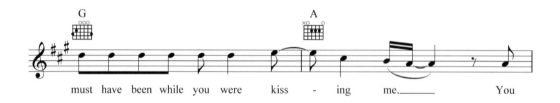

must have been while you were kiss - ing me._____ You

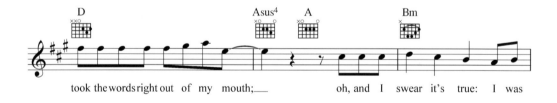

took the words right out of my mouth;__ oh, and I swear it's true: I was

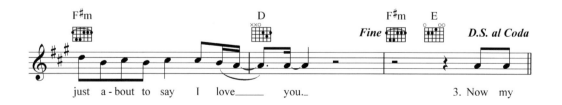

just a - bout to say I love_____ you._ 3. Now my

Fine *D.S. al Coda*

- one gon - na know where you, no - one gon - na know where you, no -

- one's gon -na know where you've been.＿   4. While you were

lick-ing your lips＿ and your lip-stick shin - ing, I was dy-ing just to ask for a taste.＿

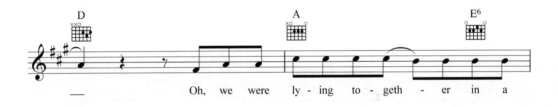

＿   Oh, we were ly - ing to - geth - er in a

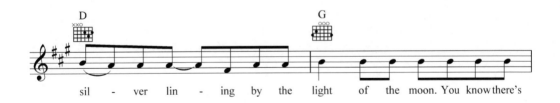

sil - ver lin - ing by the light of the moon. You know there's

D.S.S. al Fine

not an - oth - er mo-ment to＿ waste.   And then you

52
Your Game

Words & Music by Will Young, Blair MacKichan & Tayo Onile-Ere

you know that I've_ tried._____ I just can't get through to you._

_____ What you gon' do?_____ What you gon' say?__

— Al - ways the same_____ ev - er - y day.__

— What you gon' do?_____ What you gon' say?__

— Al - ways the same_____ ev - er - y day.__

— I can't keep wast - ing my time_ on your game.__

Ain't no doubt a - bout_ it; ain't no doubt a - bout_ it.

ain't no doubt a - bout it. Ain't no, no, no. Ain't no, no, no.

3456789